VALOSTA PIMEYTEEN JA TAKAISIN

R U N O K O K O E L M A

VALOSTA PIMEYTEEN JA TAKAISIN

TIIA KEMPPAINEN

FSC
www.fsc.org
MIX
Paperi vastuullisista lähteistä
Paper from responsible sources
FSC® C105338

Kansidesign ja kirjan taitto: Tiia Kemppainen, LUOMISWOIMA
Valokuvat: Tiia Kemppainen, LUOMISWOIMA

Kustantaja: BoD · Books on Demand, Mannerheimintie 12 B, 00100 Helsinki, bod@bod.fi
Kirjapaino: Libri Plureos GmbH, Friedensallee 273, 22763 Hampuri, Saksa

ISBN: 978-952-80-8873-8

PROLOGI

NAIIVI

mulle sanotaan:
varo mitä jaat
älä kerro kipuja kaikille
älä aseta heikkouksia näkyville
koko maailman katsottavaksi
joku käyttää sitä sua vastaan
aina joku haluaa pahaa

pidä sydän syvällä hihassa
paljasta vain hallitusti
omassa turvassa, tarkoin valituille
sen pienet säröt ja vuotavat haavat
loput pidä itsellä
-se on järkevää

mutta eikö elämä mene hukkaan
jos sydäntä suojelee tiukasti?
eikö se tukehdu paidan alle
panssarin puristavaan halaukseen
tai yritä riuhtoen paeta rinnasta
syöksyä kurkusta ylös
niin että kuristaa?

ehkä joillekin se riittää
-niille joiden sydän viihtyy suojassa
tai asettuu pyynnöstä aloilleen

mun on kai kuriton
se pelkää kuolevansa pimeässä
kuivuvansa kasaan
kunnes katoaa kokonaan

joten saamistaan iskuista huolimatta
se haluaa toivuttuaan ulos aina uudelleen
tuulettuakseen ja nauttiakseen
elämisen aitoudesta
kivusta ja rakkaudesta

koska jos sydän ei saa sykkiä vapaana
ilman pelkoja ja kyynisyyttä
eläminen tuntuu puolinaiselta

ja silloin on sama
onko sydäntä laisinkaan

KOTI

KAIPAUS

haluan kaivautua kainaloon
syvälle sen kuoppaan
lämmintä kylkeä vasten
käpertyä pienelle kerälle
niin tiukasti
että ruumiinosani sulautuvat yhteen
pehmeäksi mytyksi
jossa ei ole raajoja, ei selkärankaa
eikä ajatuksia syytäviä aivoja

haluan painaa pääni mättäälle
upottaa poskeni sammaleen sekaan
tuntea sen kostean pehmeyden
haistaa märän mullan tutun tuoksun
sulautua syvälle maan poveen
osaksi suurempaa kokonaisuutta
lohduttautua Äiti Maan vahvassa
ja lempeässä syleilyssä

haluan puristaa puuta
niin lujaa etten voi leijua pois
katsellen korkealla siintävää latvaa
ihaillen sen matkaa pimeydestä valoon
esi-isien aikaisella viisaudella
runko pitää minutkin paikoillaan
ja yhdessä kasvatamme juuret
syvälle maan ytimeen saakka

VILLITYTTÖ

olen se lastensatujen villi tyttö
rohkea ja itsepäinen
muottiin taipumaton

joka ikuinen uteliaisuus lahjanaan
ja sopeutumattomuus kirouksenaan
viilettää pitkin metsiä

etsien kotia ja rauhaa
yhteyttä itseen ja maailmaan
elämän oikeaa merkitystä

suopursun tuoksu käsissä
ja neulaset hiuksissa
koen todellista onnea
ja itken helpotuksen kyyneleitä

vihdoinkin kotona!

TÄSSÄ

makoiltuaan mättäällä riittävän pitkään
sulautuu osaksi maisemaa
ja voi tuntea olevansa osallinen jostakin
joka on samanaikaisesti arkisen
tavallista
ja taianomaisen ihmeellistä

kuin muistaisi jotain
jonka on kerran unohtanut
kiireen ja älylaitteiden alle

elämän ikuisia totuuksia
niitä oikeasti merkityksellisiä
siitä miksi olemme ja elämme

tai miten meidän kuuluisi elää:
osana luonnon kiertokulkua,läsnä

kaukana täyteen ahdetuista
betonilaatikoista
kiiltävistä pinnoista
ja unohtuneesta yhteydestä

A SIMPLE LIFE

walking in the ruins
of the City of Light
I can´t help but feel
as if I belonged there
more than in the present

life filled with tiny homes
community and hard labor
authentic fulfillment
fresh air and fireplaces

handmade objects full of intention
quality over quantity
commitment over nonchalance
choices motivated by needs
instead of temporary moments of lust

fewer choices and a simpler life
but a strong body and a resilient mind
living in rhythm with nature
tuned into serving a purpose
-life filled with meaning

KESÄ

vihdoin saapuu kesä
yllättäen minut vihreydellään
kuten joka ikinen vuosi

oi, miten olenkaan voinut unohtaa
miten kauniita ovat
koivujen vastapuhjenneet silmut
suloiset, mutta sitkeät
elämänmahlasta vaivatta vahvistuvat

miten olenkaan voinut unohtaa
kukkien huumaavan tuoksun
ja lämpimän tuulen syleilevän pehmeyden
joka lennättää hiukseni tanssiin
ja sieluni niiden mukana

miten olenkaan voinut unohtaa
miltä kuulostaa lintujen kuorolaulu
viserrysten sinfonia
joka tuo mukanaan vapauden kutsun
kehoituksen elää kuin viimeistä päivää

miten olenkaan voinut unohtaa
mustikoiden kukinta-ajan kauneuden
ja lokkien lennon taivaan yllä
kun ne kilpaa kirkuvat viestejään
joista mieleen muistuu koti meren laidalla

miten olenkaan voinut unohtaa
riippumatossa loikoilun autuuden
ja meren suolaisen tuoksun
laineiden lyönnit rantahiekkaan

miten olenkaan voinut unohtaa
kesäsateen puhdistavan vaikutuksen
pisaroiden ropinan teltan kattokankaassa
ja myrskyn jättämän lohdullisen tuoksun

miten olenkaan voinut unohtaa
miltä tuntuu hiekka varpaiden välissä
miltä auringon paahde riisutulla vartalolla
ja miten kirkas on sen valo
suljettujenkin silmäluomien läpi

miten olenkaan voinut unohtaa
kuinka elävöittävä on nuotion räiske
ja savun haju joka tarttuu hiuksiin
kuinka polttava on liekkien lämpö
jo viilenneellä iholla

miten olenkaan voinut unohtaa
kuinka kirkas on kesäyö
ja miten rakas ja tuttu on luonto
joka herää eloon pitkän talven jälkeen

tuoden mukanaan rauhan ja onnen
sekä muistutuksen:
tässä on kaikki mitä tarvitset

RECONNECT

nature is diverse
it exists in all forms
light and shadow
life and death

like Earth
I have many layers:
some are soft and pleasant
some harsh and uninviting

nature doesn´t demand me
to be or perform in a specific way

like nature itself
I´m allowed to evolve and grow
wither and die away
rise and reawaken
again and again

that feeling of safety
permission to be fully oneself
is found within
but it is easier
in some places than others

places that invite you to reconnect
-places that feel like home

KIITOS

rojahdan riippumattoon
ja huokaisen syvään
täytän keuhkoni raikkaalla metsällä
sateen jälkeisellä ilmavirralla
puhtailla pilvien tuulahduksilla

luon katseeni ylös
ja lausun:

kiitos männyt
te voimakkaat ja ijäiset
luotettavat ja suoraselkäiset
aurinkoon kurkottavat lohduttajat

kun pitelette minua vaivatta
rujoilla rungoillanne kannattelette
vahvalla varrellanne sylittelette
minun haurasta ja väsynyttä kehoani

tuuditatte hiljaa
keinutatte hellästi
pitelette varmasti
kuin äiti omaa lastaan

kanssanne saan tuntea
kannattelun voiman
olemisen keveyden
kiireettömän rauhan syleilyn

hetken saan olla
pienenpieni rinnallanne
avuton ja vajavainen
juuri tällainen kuin olen

polvet elämästä naarmuilla
sydämeni monasti kadottanut
säröillä ja paikoin paikkailtu
-keskeneräisyydessänikin kokonainen

PIMEYS

KULISSIT

tässä minä olen
niin kuin joka päivä aiemmin
eikä kukaan tiedä
että maailmani on romahtanut

kaikin voimin yritän pitää sen pystyssä
nurkkia kiinni pidellen
seiniä pystyyn tukien
pysy pysy
vielä vähän aikaa

kulisseiksikin niitä kai kutsutaan
tai selviytymiseksi

selviän
kunnes pääsen pois
vapauteen
ulos täältä
jonnekin missä on tilaa hengittää
ja tuntea kaikki ne tunteet
joita yritän kannatella
etten minäkään romahtaisi

koska sen mukana kaatuisi kaikki

lapset eivät jaksa pidellä
painavia kattotiilejä
synkkyyden syövereitä
ja pettymyksen tulista katkua
joka kuristaa kurkkua
ja puristaa rintaa

eivät surusta humisevaa päätä
tai silmäluomia painavaa pimeyttä
eivät selän avohaavaa
johon päivittäin ripotellaan suolaa
häillä, vertaisryhmillä
ystävällisillä puheilla
ja tavallisuuden illuusiolla

pois täältä, tukehdun!

avatkaa äkkiä ovi
tai pelkään että se liimautuu kiinni
painuu kasaan seinien luhistuessa
eikä mahdu aukeamaan
silloinkaan kun pitäisi

HILJAISUUS

kun ei ole enää sanottavaa
tai sitä olisi niin paljon
ettei uskalla edes hengittää
ei avata ensimmäistä tavua

ei tiedä mitä sen mukana nousee
ja johtaisiko ääni pinnan alle
salakavalasti kertoisi kaiken
paljastaisi kipeimmät kohdat
solmuun menneet ajatukset ja tunteet

nostaisiko hallitsemattoman hirmumyrskyn
-omani tai hänen

hurrikaanin
joka imee ilman ja voiman
räjäyttää hiuksenhienon rauhan

ja niin
sanat jäävät kiinni kurkkuun
ja hiljaisuus painaa tuhat kiloa

LOVE JUNKIE

please give me
my daily dosage
just a tiny hit
squeeze a few drops
of the elixir I madly crave

I´ve never had enough
so I´ll take anything
it will keep me soothed for a while
but it keeps on disappearing
and I don´t know how to fix that

so I keep coming back for a refill
I know it´s bad for me
but what can I do

please
just one more time
I don´t care if it´s toxic

KUILU

miten voin enää uskoa rakkauteen
miten voin uskoa rehellisyyteen
aitouteen, syvyyteen, pyhyyteen

miten voin luottaa että elämä kantaa
kun tiedän miten nopeasti maa voi vavahdella
jyrähdyksen voimasta haljeta kahtia
pudottaen minut pimeyteen
noin vain

kuilun pohjalle päädyn
huutelemaan syvää yksinäisyyttäni
ja parantelemaan haavojani
joiden kanssa on pakko elää

vaikka hädin tuskin yllän reunalle katsomaan
onko muu maailma vielä olemassa
minun täytyy nilkuttaa päivästä toiseen
hämmästellen miten tänne päädyin

pyöriä vaikka ympyrää
-kunhan en pysähdy

sillä vereslihalla raahautumista pahempaa
on luovuttaa ja jäädä makaamaan pimeyteen

silloin kuilu kasvaa
sen aukko nousee yhä korkeammalle
ja kuilun reunalta alas
katsovat lasteni hätääntyneet kasvot

HURRICANE

you say I´m the sunshine
but I have the storm in me

I´m no easy walk on a Sunday
I´m the marathon
that takes your breath away

I´m no pleasant breeze on warm skin
I´m the hurricane
that comes and renews everything

I´m no calm water
I have the depth of the seas in me
filled with beauty and dangers

so you say I´m the sunshine
but I have the storm in me
a storm that not many understand
and even fewer can handle

SISÄISEN LAPSEN TOIVE

pitelisipä äitini minua
miltähän tuntuisi hänen sylinsä
olisiko se kova ja ankara
vai pehmeä ja turvallinen?

halaisipa äitini minua tiukasti
mutta ilman vaatimuksia
lupaisi pysyä siinä
ihan lähellä minua varten

tuudittaisipa isäni minua
vahvoilla käsivarsillaan heijaisi
ei hätää, isi on tässä
saat olla hento ja hauras
juuri sellainen kuin olet

suojelisipa isäni minua
maailman kovuudelta varjelisi
rakentaisi muurin pahan eteen
sisimpäni pehmeyttä turvaamaan

saisinpa hetken olla
pieni ja avuton
ihan luvan kanssa
tuntea huolettomuutta
-keveyttä josta en tiedä mitään

BALSAMI

anteeksi, anteeksi
rakastan, rakastan

balsamia haavoilleni
ikävän venyttämille
laastareita epäilyksille
pimeyden kuiskimille kauheuksille:
"olet aina liikaa
muttet kuitenkaan tarpeeksi"

mutta missä olit silloin
kun päästin sinut lähelle
ihan minuun kiinni
niin että tunsit vanhat arpeni
rakkauksien runtelemat
kovalla työllä kiinni kasvatetut

kun heittäydyin syliisi
ja annoin kaikkeni
hyvän ja pahan, kauniin ja ruman
sinä käännyit pois
pikkuhiljaa karkasit kauemmaksi
omia haavojasi nuolemaan

sanoit "kaikkihan on hyvin"
hautasit huoleni huolellisesti
kunnes paljastit salaisuuksista kauheimman
kauan haudutetun, kypsäksi muhineen
ja avasit haavani uudelleen

ja nyt
kaukaa on helppo huudella

DÉJÀ VU

välillä valvon ajatusteni kanssa
itken surua, joka ei lopu
vaikka tyhjentäisin kaikki kyyneleeni
ne syntyvät aina uudelleen

olen muistojeni vanki
pakotettu katsomaan menneisyyden filminauhaa
käännän ja väännän
-voiko totuus olla toisenlainen?

toisinaan taas
voisin nukkua ikuisesti

taas uusi aamu täynnä velvollisuuksia
pakkoja ja suorituksia
tasapainoilua tavallisuuden
ja tavattomuuden kanssa

mieli haluaisi takaisin uniin
todellisuudesta toisaalle
jonnekin missä asiat ovat ennallaan
tai täysin erilailla

jaksaa jaksaa
painaa painaa
ehkä joskus helpottaa?

SOKEA

on vaikeaa muistaa
miksi rakastin sinua
se tuntuu kaukaiselta
ja typerältä

olin kai sokaistu
menettänyt harkintakykyni
nälissäni ahmin jokaisen murun
siitä, mitä rakkaudeksi luulin

tässäkö se on
loppuelämän turva ja onni?

hölmö tyttö!
itse itseni sokaisin
puhkoin silmäni tieten tahtoen

valitsin olla näkemättä
epäilyksiä sydämessä
toivoen totuutta täydemmäksi
kauniiksi kullaksi kuvittelin

halusin tai en
rakkauden reunoilla odotti mustuus
eikä sitä päässyt pakoon

se kasvatti juuriaan syvemmälle
vuosien saatossa vahvistui vankaksi
ja kun juuria oli kaikkialla
se alkoi mädättää tietään pintaan

en ymmärtänyt sen olemassaolon laajuutta
en kaikkivoipaisuutta kokonaisuudessa
kunnes se kiemurteli tiensä läpi
ja kuiskasi korvaani:

"olin täällä koko ajan"
kääntäen sisälmykseni ulos
ja olemukseni sisään
ja räväytti silmäni auki

-tehden minut taas näkeväksi

VIIKON LOPPU

sunnuntait ovat kuolemista varten
silloin hajoan mytyksi sohvaan tai kainaloon
kyseenalaistaen olemassaoloni merkityksen
ja huutaen korkeuksiin:
”miksi luulet että pystyn tähän?!”

eikö tämä ole liikaa jopa minulle
sisun synnyttämälle
resilienssin venyttäjälle
luovuttamisen kiroajalle

miten voisin olla rakkauden lähettiläs
jos jaksan juuri ja juuri pysyä jaloillani
pitäen pystyssä kokonaista laumaa

ja tuntevatko he olevansa rakastettuja
kun näkevät minun uupuvan taakkani alla?

sen, joka on ensimmäinen elämäntehtäväni
kasvunpaikka käärittynä välillä lahjaksi
ja välillä vankilaksi

kuka minuun uskoo niin paljon
että antaa kantaakseeni
kaksi vuorenkokoista päämäärää?

etkö näe:
olen vain yksi pieni hauras nainen

UHRILAHJA

jo äidinmaidosta sen saamme
uhriutumisen tutun lahjan:
"minä aina, muut ei koskaan
kaikki aina mua vastaan"

valittamisen ihana autuus
turvallisen kurjuuden tuoja
marttyyrin viitta liehuu
kun peilit pysyvät poissa

näinhän me sen opimme
jo isiemme äideiltä
kantapään kautta kärsimällä
yksinäisten kyynelten suodattamana

"ei minuakaan autettu
kyllä ihan itse piti pärjätä"
takoa onnensa hammasta purren
esi-isien jalanjäljissä
kunnes kuori kovettuu
suojaamaan haurasta sisintä

ja lopulta
omien toiveiden sijaan
kuuluu enää tuttu virsi:
"vali vali, se ja tuo
muut saa elää
kun minä kuolen"

OUTCAST

I have this constant thought
of being too much
I have this crippling fear
of never being enough

anyway it´s like
there is something
profoundly wrong with me
and I´ll never be
the right amount

like if
I´ll never quite fit in

no matter how much I try
to mould and twist and reform myself
I´ll never be able to fully integrate

it´s like
being a triangle
inside a rectangular box
or in our round world
which I will tear apart
with my sharp edges

like the way I destroy expectations
-mostly my own I guess

ANXIETY

sometimes I forget how to breathe
it´s like
my lungs don´t know
how to fill up with air anymore

or perhaps my brain denies permission
just to mess with me

ha ha!

you thought you were gonna die
what will you do next to survive?

ONNI

istu alas
kuuntele hiljaa
odota vuoroa
enää viisi tuntia
pidättele luontoasi
liian levotonta
paikkaan sopimatonta

hanki titteli
vielä toinen
sitten työ
jossa tärkeintä on raha
-koska rahalla saa
ja hevosella pääsee

osta onni
kunnes se haihtuu taas
kuin savuna ilmaan
tai kaatopaikalle uuden tieltä

hanki kumppani
joku jolla on hyvä työ
perusta perhe
osta talo
toinen auto ja lastenistuin

mutta älä tyydy hoivaamaan
luomaasi uutta elämää
se ei riitä

pidä työstä kiinni
kynsin hampain
muuten omaisuus katoaa
merkitys ja onni mukanaan

kun kaikki on samoin
vuodesta toiseen
turvalliset kahleet pitävät kiinni
huomisessa ja ylihuomisessa

-tai eläkesuunnitelmissa ainakin

ON-OFF

every now and then
my body forces me to stop
when I don´t know how to
or when I refuse to listen

that´s when the migraines
sickness or pure exhaustion kicks in

my body makes sure
I can´t do anything else
but stop and suffer

I guess it´s a gift:
a reminder to recharge
and to make an inner scanning
-a check of values
surroundings
and direction

but it is hard
to live as a cyclical person
in a linear society
that expects you to exceed
provide and perform
the same every single day

no matter
the period
the lack of sunlight
the hours you slept
-or didn´t

no matter what you´re going through
how overwhelmed you are
or how many human beings
you are raising while you go

there are no excuses and no mercy:
either you fall off
make it
or die trying

and so I try
pedal to the metal
until I crash again

ON or OFF

perhaps someday
I´ll discover a sustainable rhythm:
a golden balance
the pace in between

VARO HEIKKOJA JÄITÄ

miksi sydäntäni särkee, kun olet poissa
ja kerrot miten ikävöit ja välität?
minun tarvitsee vain pyytää ja sinä tulet

se saa sydämeni juilimaan
ja kurkun kuristumaan
miksi kehoni kiusaa
kun valat minuun varmuutta?
reagoi hullunkurisesti
ylösalaisin
päinvastoin

pelkäänkö vastata, että ikävöin
pyytää, että tulet
kertoa, että rakastan
tai edes ajatella niin?

se tekee tunteet liian todeksi
painaviksi ja hauraiksi yhtä aikaa
kuin järven päälle asettunut jää
joka pitää veden vakaasti paikoillaan
mutta voi pettää hetkenä minä hyvänsä
alkaen rasahdella pahaenteisesti
juuri kun olen löytänyt tasapainon
oppinut nauttimaan liukkaalla liitelystä

kevään äkillinen saapuminen kauhistuttaa
saaden sydämen tekemään kuperkeikkoja
poissa silmistä
poissa mielestä
poissa kielestä

ANALYZING

I´m keeping a safe distance
only building relationships
that hold no hope of a shared future

is that me being smart:
filling my cup
so I can pour into my children´s
without having to share my time
or risk heartbreak?

or is it betrayal:
a fear-driven decision
that gives me just enough
not to starve from
the lack of love
the lack of mirrors
that prove I´m worthy and lovable?

SURUN HUNTU

en näkyä tätä voi unohtaa koskaan:
äiti, joka kantaa rakasta lastaan
mut on välissä arkku kylmä ja kova
sisällä sen makaa laps ikioma

en äidin surua ymmärtää voi
miten syvää kaipuuta nyt sydän soi
sydän mi alla lapsi tuo varttui
suojassa kohdun kun voimansa karttui

alussa kaiken he jakoivat, yötkin
ilot ja surut ja sydämen lyönnit
läpi vuosien kantavat rintaansa vasten äidit
ja kasvavat taidot nuo lasten

koki ilon ja riemun, tuiskun ja tyrskyn
kaikkien noiden vuosien myrskyn
näki iltoja monta ja aamuja täällä
vaikka luisteli välillä heikolla jäällä

mut ei riittänyt et oli monelle rakas
vei maailman paino ja nyt siellä makas
pien laps, joka nuoreksi mieheksi varttui
ja äidin rintaan suru ikuinen tarttui

KUOLEMA ON YSTÄVÄ

kun elämä haluaa laittaa polvilleen
se tekee sen niin hyvin
että epätoivollekaan ei jää tilaa

kun vastoinkäymisiä tulee määrättömästi
päätyy lopulta pisteeseen
jossa epätoivo kaikkoaa
ja tilalle tulee holtiton huvitus

kun stressi on jäykistänyt jänteet
itku imenyt kuiviin
ja hampaat kiristelty pieniksi piikeiksi
voi enää nauraa hartiat hytkyen
-itkun seasta höröttää menemään
kuin viimeistä päivää

minä hölmö!

luulin jälleen voivani hallita elämää
kykeneväni kontrolloimaan yhtään mitään
ja nyt taas muistan
miten absurdi on ihmisyyden kokemus
miten täynnä opittavaa

ja sitä inhimillisyden ydintä:
tunteita, jotka kuohuvat ja kiehuvat
ylitse ja ympäri
uudelleen ja uudelleen

kun tuntuu
etten kestä enää yhtäkään vastoinkäymistä
en pienintä tikkua kamelin selkään -
elämä heittää päälle sylillisen polttopuita

ja kuin salama kirkkaalta taivaalta
se saapuu:
unohtunut totuus
muistutus, että tämä kaikki päättyy

joku päivä otan viimeisen henkäyksen
ja elämäni loppuu
mikään ei kestä ikuisesti

ajatus saa hartiani
laskeutumaan helpotuksesta
ja keuhkoni täyttymään taas ilmasta

hymyilen itsekseni
miten lohdullinen onkaan kuolema!
miksi sitä pelkäisin?

sehän on lahja
joka tuo keveyden tullessaan
maali, joka päättää tämän rimpuilun
mahdottomuuden jatkuvan muovailun
yrityksen hallita hallitsematonta

ja se saapuu vääjäämättä

ei kuolema ole vihollinen
se on ystävä
joka ohjaa lopulta rauhaan ja sanoo:
"kiitos että elit ja teit parhaasi
nyt saat mennä"

mutta ensin
elän, ennen kuin kuolen

REALITY

"there is no world
that he would have fitted into"
he said
and it made me mad

what kind of a world is that?!

filled with an abundance of species and wonders
but only accepts a certain type of people
leaving behind those who are different
to silently suffer and fade away
to choose death over life

adapt or die
is the evolutional way
but we were never meant to live
in this kind of society

-one that alienates us from nature
from our natural cycles
and our feelings that should flow freely

a society that provides no close community
no gentle support for those
who need it the most

an individual not finding their place
is not sick or wrong
they feel the loudness of the world
in ways that others don´t

and I know
it can get unbearable sometimes
-as I am one of them

we might not be made
for this modern world
but the world made us

so let´s change that!

alter our reality
and reshape our future
to match the diversity

together we are stronger
and richer

MUUTOS

VASTALAUSE

mitä jos en suostu

en istumaan ja hiljentymään
en kutistumaan laatikkoon sopivaksi
en tyytymään ja asettumaan
mykistämään sydämen ääntä
en elämään kuolleena
en kuolemaan ennen elämää

minähän elän!

kaadun ja nousen taas
pelkään ja uskallan
epäonnistun ja opin
nauran itselleni
kerran jos toisenkin

annan itselleni luvan olla
se villi ja vapaa
jota jotkut paheksuvat
ja toiset ihailevat

-mutta vain minä määrään

MERCY

what if
I got it all wrong

what if
I needed to fall
for myself above all

what if
I was never broken
-just hurting and alone
trying to figure things out

what if
I don´t need to do that
on my own

what if
I was always whole
always worthy
always good enough

BIBLICAL LOVE

for a really long time I thought
that there was something wrong with me
-that I was unworthy of love
or I wasn´t loveable enough

for some unknown reason
I earned to be mistreated
belittled and used

I felt damaged
broken even
and I thought:

maybe if I
serve, help, understand
support and forgive
over and over again

then maybe
I´ll get some love for myself
at least some crumbs
cause it´s better than nothing
-right?

and still
I didn´t really feel loved

so what is love?

is it supposed to be hard?
is it supposed to make me feel
hurt and disappointed and bitter?

does love demand me
to overstep my boundaries?

but if love is patient
and love is kind
-wasn´t I supposed to be too?

love bears all things
believes all things
hopes all things

but is it love at all
if it´s based on
bearing and hoping?

RAJALLA

me istutaan tässä
ajan välitilassa
jossa ei ole vielä mennyttä
eikä tulevaa

on vain tämä hetki
-tyyni ennen myrskyä
minuutti ennen muutosta

toisen tuttuus
arjen muruset, jotka juuri
olivat itsestäänselviä paloja
yhteisessä palapelissä

päivästä väsyneet vartalot
sohvan nurkkiin käpertyneenä
mielet omissa menoissaan
välillä yhteyteen palaten

ohikiitävän hetken
kaikki on kuin ennen:

ei sydänsuruja, ei valheita
ei pohjatonta pettymystä
ei väistämätöntä tulevaisuutta

rinnassa läikkyy rentous ja helppous

kunnes mieli muistaa
todellisuuden tuskan
-ja niin saapuvat
luopumisen haikeus
ja irtipäästön vaikeus

painan torkkua
vielä hetki rajalla
rohkeutta keräten
vanhaa vaalien
voimaa haalien

ja sitten lentoon

BIRTHRIGHT

I´ve earned my right to live
the day I was born
and I will not apologize
nor be ashamed

I´ve earned
my right
and capacity to love
the day I was born

and I deserve to be loved
the way I NEED to be loved
without begging or chasing
without trade-offs

I guess love is patient after all:
it exists and waits
until you decide to find it

KETJU KATKEAA

äidit, isät
esivanhemmat
kuulkaa minua:

teitte virheitä
lahjoititte kipua
josta kärsi moni
-mutta se loppuu nyt

olitte kaltaisiani:
epätäydellisiä, ihmisiä
elämää itsekin oppimassa

virheenne on nähty,kuultu
ja anteeksi annettu
-taakkanne jää tähän

kiitän teitä elämästä
olkoon jälkikasvuni
uuden mahdollisuuden edessä:

menneisyydestä puhdistetut
keveämmin askeltavat
omille virheilleen vapautetut

SOMEONE

I think we all know someone

someone with a big heart
so big that everyone fits in
-except for themselves

someone who is always there to help
understand and forgive
maybe someone who always says yes
even if they wanted to say no

someone who is terrified
that others won't like them
so they try to be perfect
and make themself
as digestible as possible

someone who is choosing
staying over happiness
acting out of fear of losing people
and missing their full potential

cause it could pop out someday
right?

someone who really wants to be helpful
because it makes them feel fulfilled
and important and needed
loved even
-but perhaps a bit bitter too

someone who is actually afraid
that they are too much
or not enough
either way:
just not the right amount

we all know someone
we might even be that someone

and it´s okay
don´t blame yourself
it´s what kept us safe for a long time

but maybe now it´s time
to take the chance
of losing someone else
instead of losing you

TOTUUS

älä laita sanoja suuhuni
älä sano mitä tunnen tai ajattelen
älä sano, että minun kokemukseni
ei ollut totta

sinun sanoillasi ei enää taivutella
minun todellisuuttani tahmeaksi
käännellä siitä epämuodostunutta
vääristynyttä ja rumaa
agendojasi palvelevaa

ei häivytetä hataraksi, seitinohueksi
kunnes epäilen itsekin sen olemassaoloa

ei!

vain minä tiedän
ja minun totuuteni on vahva ja kaunis
katkovien käsiesi ulottumattomissa
minun hallinnassani

minä luotan minuun

UNTAMED

who the fuck are you
to demand my freedom
to tell me what to do
or how to behave

I´m not your property
or a price to win
I can be and do
whatever the fuck I want

I am the captain of this ship
I am in charge
and if you can´t respect that
I will toss you over into the sea
without hesitation

SURRENDER

take this weight off my shoulders
take all of me
just for a moment
so that I can feel light
light like air
and let go of everything

for a moment I can trust
that I am being held
there is nothing I must or can do
time and place shall disappear

maybe I will feel lonelier than ever
but when pain is on the surface
it has to be seen and felt
there is no escape

and by embracing that
and going through
pain can merge with pleasure
the pleasure of surrendering
the pleasure of suffering
raw and real

like life itself

LIFE WORTH LIVING

are you alive?

I can see you there
breathing and existing
but

when you drive in your expensive car
sit by the same desk again
wander along shopping aisles
buy a brand-new phone
-do you feel alive?

and when the new isn´t new anymore
-what about then?

to be alive
and to fully live
are two different things

we only live once
shouldn´t we feel alive too?

HOLLOW

I have the freedom:
I could give myself to anyone

I could walk into a bar
and leave with someone
I could go on Tinder
I could answer his text
or his
or his
and they would come

but why does it feel
so uninspiring and hollow?

now that I have
all the opportunities
I find myself
not wanting any of them

maybe
that is the real freedom?

DECISION

and so comes the day
the day of consequences
the day of responsibility

I think I am choking
how the fuck am I supposed to know
whether my choice
is made out of fear or love?

and if love
love for whom?

I have made a promise:
I will never abandon myself again
I shall be free and make my choices
based on love, not on fear

so I step up
and let this day be
the first of many to come

I decide to trust my inner wisdom
-come what may

PERSPECTIVE

it is funny how we can have
multiple experiences at once
alternate perspectives
that turn everything upside down

we are the same
as we were as children
but sometimes it feels like if
we had lived a thousand lives

as if the person we once were
was another human being
-so far we have come from that reality
so much has changed internally

like when we become a parent, we wonder
how yesterday could ever have existed
a life without this little human
-how just a moment ago
we were so utterly different

and we can have a life
filled with hardship and trauma
and at the same time we can have a life
filled with happiness and gratitude

same life
different perspectives
-you choose

MUSE

and just like that
I realize:
I AM the party

I am the bubbling joy filling the room
I am the bringer of liberated happiness
dancing like my soul is on fire

and eventually
everyone else will disappear
it is just me on the dance floor
my body and my soul vibrating:
the flow of life spiraling through me

and that is all I need
-I am my own muse

ELEVATING LOVE

I want to know healthy love:
love that won´t make me bitter
but gives me a sense of calm
and brings out the softness
and sweetness in me

I want to know liberating love:
the kind that doesn´t take away my power
but adds to it
the kind that doesn´t demand or chain
but sets me free

I want to know stable love:
love with equal effort
actions aligned with words
love with both space and closeness
in a well-balanced harmony

I want to know love with a gentle flow:
love that feels like a dance
a never ending movement
that frees the spirit
and makes the soul sing

SETTLE

have you noticed
how people talk about settling down
like it´s the responsible thing to do
and has to happen sooner or later

I have an endless appetite for life
and a poor ability to settle

settling makes my heart ache
my body sore
and my brain freeze

like it doesn´t really want
my body to move
so that nothing bad happens

but that way NOTHING happens!

I´ll just shrink like a dried grape
until I become a small wrinkly raisin
or a tree that is still standing
but is actually dead inside

no
not me!

I will live the fuck out of my life!

so that my heart expands infinitely
my body celebrates its existence
with every muscle
and all possible movements

I will live a life
full of passion and fire!

a life that allows my soul
to feel the burn
the freedom
the joy
the purpose
the connections
and the lessons

so no
I will never settle
and neither should you

ÄITI

SELF PARENTING

I choose to grow
and become my own mother and father
to parent and nurture myself
the lonely and scared child inside

I embrace all versions of my existence
and allow every feeling to pass through
so that I can become the real me:
a vibrant and authentic soul
living life to the fullest

I welcome my friends
to support me with my mission
so that I can grow strong and resilient
by allowing all parts in me
to be seen and loved

and to share my love with you

LAPSENI

lapseni ovat
elämäni keskipiste
omistautumisen oppitunti
voimavarojeni venyttäjä
hetkessä elämisen lahja
sydämeni täyttymys

olen heidät sisälläni muovannut
venynyt ja revennyt
kiinni itsessäni kantanut
uupumuksen saakka niin
että ääriviivat välillämme hämärtyivät

olen tuntenut rajatonta rakkautta
niin pakahduttavaa, että se sattuu
lasteni puolesta kuolisin
ja lasteni vuoksi valitsin elää

enkä ainoastaan elää
vaan mennä kivun läpi

lapsilleni antaisin kaikkeni
vaatimatta mitään takaisin
ja kuitenkaan lapseni eivät ole minun

olen heille kanava tai portaali
rakkauden peili, eväiden antaja
jotta he voisivat tulla
sellaisiksi kuin ovat
-omaksi itsekseen

DEVOTION

I`m really trying to be
the mom my kids deserve
but often I feel like I´m failing

it is so hard
to be the solid rock
and the soft embrace
to be something I never knew
to be someone I wish I had

and not just one but two

it feels unfair
-why am I the one
to break the pattern
the chain of generations

and how could I
give so much
when I possess so little

and so
I turn to my parents:
Mother Earth
and the Father in the skies
I breathe them in
and give my tears to the soil

until I become one
with water and fire
peace and power
toughness and softness

once again
I reclaim what I´ve lost
and am reborn
as Mom Almighty

ERITYISEN IHANA

erityisten kasvatus ei ole heikoille
ei kauniin kuorensa kiillottajille
ei täydellisyyden tavoittelijoille
ei itsekeskeisille itkijöille

se vaatii vuorellisen omistautuneisuutta
naurettavan määrän nöyryyttä
rajattomasti resilienssiä
saavillisen sitkeää sisua
ja niin perkeleesti periksiantamattomuutta

tuokaa siis tuulimylly ja vaikka toinen
taikka suuri harmaa kivi
koulupalaveri, terapiat
lääkäri ja kela

saa olla erityinen
mutta erilainen ei
sanat helisevät paperipinossa
sotivat päätöksiä vastaan

minun lastani ette riko!
marssin vaikka sotaan
me vastaan maailma
-pellavapääni ja minä

auktoriteettien altavastaajat
rehellisyyden rakastajat
monimuotoiset multitaskaajat
normeista ikävän ihanasti irrallaan

kaikki väsyvät välillä
erityisiin enemmän
viisas voi myöntää vajavaisuutensa
vahva on valmis katsomaan peiliin

kuka välittää lapsesta
kuka kalliista kuvastaan
tekoja sanojen pariksi, pyydän
arvoistaan ammattilainen tunnetaan
- teot tekevät ne todeksi

KULTAREUNUS

tarraudun kiinni näihin hetkiin
tartun niin lujasti kun voin
pilvien kultareunuksiin:

hetkiin, joissa on rauha
joissa olen tässä, läsnä
joissa näen kauneuden ja pyhyyden
täyttyen helpotuksesta
ja kiitollisuudesta

tallennan sydämeen muistot
joissa kuulen lasten naurun
näen loistavat silmät
valkoiset hammasrivit
ja riemusta pomppivat jalat:

kolmekymmentä pientä varvasta
harallaan nurmea vasten

tallennan pahan päivän varalle leikit
joista huokuu sisaruuden riemu
myötätunto ja jaettu ilo
-sopusointuinen sulosävelmä

tallennan kokemusten kansioon
yhteiset rakkaat retket
joissa ympärillä on rauhoittava luonto
riippumaton lohdullinen keinunta
veden loiske ja naurunkimakka

kesäpäivien raskaus ja ihanuus:
viikkojen virtaus sulautuneena
yhdeksi epämääräiseksi yhtälöksi
-lapsuuden kesien ikuisiksi muistoiksi

TYTTÄRELLENI

rakas tyttäreni

jo ennenkuin sielusi syttyi sisälläni
toivoin sinua pitkään
tähtitaivaalta pyytelin
valveillakin unelmoin

pienestä pellavapäästä
oikein villistä vekarasta
mielikuvituksen mestarista
rohkeasta retkeilijästä

joka valaisee kaiken tiellään
taipumatta muiden tahtoon
etsii ihan oman polkunsa
erilaisen kuin muiden

joka pelottomasti tutkailee
rajoja itsessään ja maailmassa
sinnikkäästi eksyy ja löytää
aika ajoin kaatuu vain noustakseen taas
vahvempana ja viisaampana

näyttäen muillekin mallia
miten elää täydellä sydämellä
viittoen minutkin valitsemaan
tien joka parantaa ja kasvattaa

ollakseni hänelle parempi:
viisaampi ja vahvempi
pehmeämpi ja pelottomampi
pellavapääni pitelijä

en ole kaikkea osannut
olen hapuillut ja erehtynyt
toiminut toisinaan tökerösti
harjaantunut kantapäänkin kautta

voimani eivät aina ole vastanneet
sitä mitä sinä tarvitsit
eikä aikani tahdo venyä
esikoistani riittämiin ravitsemaan

sitä pyydän anteeksi
ja jos jotain haluan sinun muistavan
mukanasi läpi elämän kantavan
niin se on tämä:

olen ikuisesti kiitollinen sinusta
-toiveideni täyttymyksestä
elämäni rikastuttajasta
merkityksen muovaajasta

rakastaen sinua rajattomasti
niin kuin vain äiti
voi lastaan rakastaa

enkä tahdo sinun koskaan unohtavan:
olet täydellinen juuri tuollaisena
unohtumattoman uniikkina
onnekkaasti omanlaisena

ja toivon, että valitset
ympärillesi ihmisiä
joiden kanssa voit olla oma itsesi
ja saat kokea olevasi nähty ja kannateltu

rakas tyttäreni
yhtä lailla kun minä opastan sinua
olet sinäkin ollut minun opettajani
kanssakulkija kasvumatkallani

enkä malta odottaa, että saan nähdä
mitä elämä vielä tuo tullessaan
-millainen on pilttini polku
pellavapääni määränpää

rakkaudella, äitisi

ÄITI

kaiken alussa ja lopussa oli äiti:

äiti, joka loi sisällään elämän
valvoi yöt vatsaansa pidellen
repesi lopulta kahtia
-avaten portaalin maailmaan

äiti, joka piteli kädessään kättä
antoi anteeksi aina uudelleen
lohdutti ja rakasti ilman ehtoja
-silloinkin kun kukaan muu ei enää osannut

äiti, joka repi rakkauden selkänahastaan
taipui ja taipui
kieltäytyen koskaan katkeamasta
-paikkasi säröt sitkeällä rakkaudella

äiti, joka ei enää jaksanut rakastaa
tai voimat eivät olleet rakkauden veroiset
äiti, joka ei tiennyt mitä rakkaus on
-ei löytänyt tietä tuntemattomaan

äitejä, jotka jättävät jäljen
johdattavat perässään poluille
muinaisia murusia seuraamaan
tutuille teille tarpomaan

minä astun syrjään polulta
otan muutaman murun mukaan
etsin uuden tienhaaran
teen sen tutuksi tamppaamalla

äidinsieluiset ja toisten äidit
jotka rakastavat synnyttämättäkin
-heitä minä kerään matkalla kuin kukkia
harkiten teen heistä kauniin kimpun
haavojani hoivaamaan

matkalla opin oman äitini tarinan
ymmärrän, suren ja rakastan
ja kun lohtu on
sukeltanut syvälle sisimpään
hyväksyntä hellinyt haurasta
anteeksianto auttanut uuteen alkuun:

kukin kauniimmin kuin koskaan

RAKKAUS

CALL ME LOVE

growing up
I never quite learned
what love feels like
or how "i love you" sounds like
so ever since
I´ve wondered and questioned

not just whether I am lovable or not
but also my own ability to love
and you know what
-that is insane!

I´m the one who
carries flowers in her backpack
smiles at strangers
and waves to every toddler
seeking connection

the one who
helps those in need and
feels proud of people whom
I haven´t even met in real life

the one who
smells the heads of babies
holding them gently
as if they were my own

the one who
always expects the good in everyone
-until proven otherwise

the one who
shouts in amazement
when seeing the sky dressed in purple
wishing to share
that beauty with everyone

I am the one
loving fiercely
with all my being

and there is no doubt about that

RAKAS

kun kaipaan syliä ja lohdutusta
hyväksyntää ja rakkautta
silityksiä ja anteeksiantoa:
minä olen siinä

kanssani voin olla oma itseni
kaikkineni
rikkinäisenä
epätäydellisenä
ihmisenä

olen elämänkumppanini
hyvinä ja huonoina pivinä
alusta loppuun

minun täytyy pitää itsestäni huolta
hoivata ja helliä
uskaltaa luottaa:

riitän sellaisena kuin olen
ihan omanlaisena

ja silti saan aina myös kasvaa
pyytää apua, muuttua
oppia ja kehittyä

kanssani olen turvassa
-onneksi minulla on minut

YSTÄVÄ

rakas ystävä
anna anteeksi
etten ole kysellyt sinua useammin

minulla on omanlainen aikaulottuvuus:
elän tässä ja nyt
ja usein unohdan kaiken sen ulkopuolella

mutta kun näen kuvasi tai ajattelen sinua
olet minulle yhtä lähellä
ja yhtä rakas kuin ennenkin

vaikka aikaa olisi kulunut kuukausia
tai jopa vuosia
olit aina osa elämääni

sellainen joka pysyy ja kestää
elämän muutokset
-ja ajattomuudenkin

LET ME FALL

I want to fall in love

I want to fall in love so deeply
that I´ll forget
I ever needed balance

I´ll loosen my grip
and let myself sink into
a feeling so intense yet so light
that it feels like
I´m being held by a cloud

I´ll let myself dive deeper
and softly yet tightly
I´ll tuck myself in
as if love were a swaddle or a blanket

and everything else would lose meaning
and there would be no room for
doubt or fear nor logical reasoning

because for that moment
my whole reality
would be fluffy and floating

WITH YOU

when I first met you
it all felt good
-and new and odd in a way

I thought to myself:
will it be boring
without all the intensity and chaos
that I´m so used to

or are you too good for me
-as if I still occasionally felt like
no one capable of healthy love
would want or choose me

it was pure intention and consistency
I didn´t recognize
even though to be safe
is what I´ve always wanted

to have someone responsible
supportive and kind
someone who would want all of me
(and that can be a lot sometimes)

so the unknown frightened me
made me restless sometimes

but when I´m with you
I feel reassured
that all is well
and as it should be

taking care of me
with such affection
and determination
it still leaves me in awe

and it is clear to me now
that for you
I AM easy to love
and you will love me
in all the right ways

CALM

your calmness heals me

I don´t think I know
this type of love from before:
the kind that isn´t explosive
and all-consuming
but calm and steady

the kind that says:
it´s okay
we don´t need to hurry
take your time

the kind that says:
it´s okay
I´ll be here
as I promised

the kind that says:
you give me so much joy
but I don´t need you
to pour all of it on me

the kind that says:
I appreciate you
and love to be around
if you´ll let me

and I do

so I let go
of my fears and expectations
and I jump with you
-the leap of faith

and in this moment
I am yours and you are mine
and we are both free

VETTÄ JA TULTA

ja niin
pikkuhiljaa
me löydämme yhteisen rytmin

vuoroin vaihtuvat
etäisyys ja läheisyys
lämpö ja ikävä

arjen kaaos, joka on parempaa jaettuna
askareet, joilla tiimityötä testataan
vapauden keveys mahdollisuuksineen

intohimo ja hellyys
rauha ja vauhti

päivä päivältä
ja viikko viikolta
kietoudumme tiukemmin toisiimme

yhdessä miten milloinkin
löydämme tasapainon
ja pystymme mihin vain

olemmehan vettä ja tulta

SOFTEN ME

help me get out of my head
and escape my endless thoughts
for a while
sometimes I need to be forced
to let go

so hold me
so that I have no choice
but to return to my body

squeeze me so tightly
that the hardened shell cracks
and my sweetness might pour out

please be
the steady ground beneath me
so I can melt into
the softness that I am

hold me so tight
that I can feel safe and loved
as that is my true essence

and with my permission
you can help bring it out
into the daylight

VALSSI

se on kuin tanssi
kaukaa lähelle ja takaisin
intohimon värinästä
hellään syleilyyn

sinä viet
minä antaudun
ei ole muuta
kuin hengityksemme rytmi
ja tukala nautinto

menetän hallinnan
-ei, annan sen

luotan sokeasti
ja niin:
ovi eetteriin on auki

MOMENTS

it´s moments like these
I´m feeling the luckiest:

a long day behind us
on a bus staring out the window
you have one arm around me
the other is gently stroking my leg
and I´m thinking:

oh, what the old me
would have given for this moment

to have someone to love
and protect me with passion
making me feel important
and adored every day
with both words and actions

gestures like these
might seem small for some
but to me
they speak louder
than any hollow words
reaching for the skies

it´s moments like these
I want to keep on sharing with you

AIKA

lämmintä ihosi vasten
olen turvassa ja rakastettu
ja yllättäen minut valtaa
muistutus elämän rajallisuudesta:

ymmärrän
että lopulta aika saa meidät kiinni
liian nopeasti se hupenee
viimeistä hiekanmurua myöten
valuu tiimalasin pohjalle

silmänräpäyksessä kaikki on ohi

näen elämämme elokuvan edessäni:
kaikki yhteiset vuodet
niiden ilot ja surut
lasten kasvun ja jaetut riemut
ratkotut riidat ja hellät halaukset
tiimityön hioman kumppanuuden
kiireenkin keskellä löytyvän hymyn

näen lasten lähdön tuovan tyhjyyden
ammottavan aukon, johon kestää tottua
muutokseen lopulta sulautuvan tyyneyden
kun jäljellä olemme me kaksi

näen yhteiset seikkailut
naururypyt ja soittohetket
lapsenlapset ja yhteiset pyhät
arkiset puuhat ja jaetut iltapäivät

näen epäitsekkyyden täyttämän elämän
jossa uhraus on siunaus
jaettu ilo on suurin ilo
ja jaettu suru kevyempi kantaa

näen harmaantuvat hiukset
ja löystyvät lihakset
hidastuvat askareet
ja verkkaisen rauhan

ryppyiset kasvoni käsiesi välissä
silmissäsi sama pilke kuin ennenkin

päivän päätteeksi
hauras kehoni omaasi vasten
ilmavirta niskassani
hengityksesi tahdissa

hento ja ryppyinen käteni
sinun kämmenesi sisällä
-kuten joka ilta puolet elämästäni

kunnes otteesi heltiää
ja tuttu tuhina lakkaa
lämpösi katoaa
ja tuoksusi haihtuu ilmaan

puolesi vuoteesta on kylmä ja kolkko
vanha vartaloni orpo ja yksinäinen

niin kaunista ja katoavaa on aikamme
joten tänään tartun hetkeen
ja jaan sen kiitollisena kanssasi
-rakastan kuin huomista ei olisi

VALO

OVERCOME

I used to be afraid of so many things
-oh, how fear steals your power!

it really robs your life energy
the ability to express yourself
and the ability to create

it forces you never to try
never begin

but I´m not afraid anymore

I know now
that whatever happens
I´m always worthy
always loved

always safe
to be myself
to take up space
and to live my life my way

USKALLA

pelko pois

heittäydy elämän virtaan
älä pyristele vastaan, vaan antaudu
ja päädyt juuri sinne minne kuuluu:
sinne mistä löydät tarkoituksen

rakasta joka solulla
jokaisella luulla
jokaisella raajalla
jokaisella hiukkasella

ei ole absoluuttista varmuutta
ei ole rakkautta ilman riskiä
ei ole uutta ilman muutosta
ei ole rohkeutta ilman pelkoa

uskalla elää ja rakastaa!

CHARACTER

a good way to estimate one´s character
is to forget what you think you know
and just see and listen:

how do they treat you
are their words followed by actions
does their actions align with words

do you need to ask for what you need
-and if so, how do they respond

how do they treat others
even those just passing by
cleaners and cashiers
the neighbour next door

how do they speak about others
with respect or resentment
to uplift or depress

what do they search for
peace or drama
competition or collaboration

and how do you feel
after spending time with them
drained or fulfilled
at peace or at unease

you will know the answer
-then estimate yourself

PURPOSE

I think one of the biggest things
I have learned in the past years is:

by being authentic and caring
I can give peace
-not only to myself
but to those around me

it´s something
some might never have had before:
the permission to be themselves
without masks

mirroring it is enough:
they are amazing
lovable and deserving
just as they are

I´m one hell of a cheerleader
my lesson is
to love and cheer for myself
with the same kindness I do for others

I shall listen to my intuition
choose the right people around me
and what is meant for me will come

authenticity, love and bravery:
that is the pathway to my calling
that is the way home

I DO GIVE A F

if you feel confused
or annoyed
or threatened by me -

GOOD!

it means I´m on the right track:
shining my light so bright
that it triggers

awakening important messages within
requesting permission
to release hidden parts
from the barriers of mind
and the shadows of fear

for you to heal
and for others to see
who you truly are

IKIGAI

I do not dream of Gucci bags
I dream of mossy views

I do not dream of luxury cars
I dream of sand between my toes

I do not dream of couture fashion
I dream of feeling good in my own skin

I do not dream of fame and worship
I dream of people who
love and support the real me

I do not dream of promotions or fortunes
I dream of ikigai:
the reason for being
the joy of living

LIGHT

you need to go through darkness
in order to truly embrace light
you need to know suffering
in order to truly know relief

when you know how it feels to breathe
with a thousand needles in your lungs
or how it feels to keep on walking
with Mount Everest on your shoulders

-thinking that you cannot
take another step
or inhale another time

yet somehow you do
again and again
until one day
it feels a bit easier

then
you shall feel such relief
and appreciate the painless breaths
and the lighter steps on your path
that others take for granted

and you shall be able to see beauty
in places others won´t
-like a blind person
regaining their sight
you will see the world with new eyes

yes
you shall see the light
and it will feel brighter than ever
after spending all that time in the dark

BEAUTY STANDARDS

real beauty
does not come from
a polished style
symmetrical body, perfect lashes
or juicy red lips

it comes from loving yourself:
being so confident in yourself
that your energy shines through
radiating power and peace

it shows up
in the twinkle of your eyes
and in your authentic smile

in the way you move
and in the way you talk
when there is no need to compete
or to justify your existence

that is how you will turn heads
-regardless of
how you look in that moment
people will feel your vibe

yes
when it comes to real beauty
the outer is irrelevant

WOMAN

a woman´s superpower
is her ability to be soft

soft in her mind:
believing in kindness
wishing to connect and understand
defending truth and justice
holding space for those in need
and loving both herself and others

soft in her body:
moving lightly and with confidence
her skin like the finest velvet
her belly so magnificent and sweet
able to expand and create new life
curves beautiful and divine
a pleasure to admire and adore

soft in her spirit:
letting go of control
trusting the process and her intuition
feeling life deeply and fully
and seeing the beauty in it all
the deeper meanings beneath the surface
the forgotten truths of our existence

a powerful woman knows how to be fierce
yet is brave enough to stay soft

OBSERVE

art is:
the way you smile
the way you cry
the way you move your body
the way you speak your mind
the way you are vulnerable and sore
the way you stamp your foot and say
"enough is enough!"

art is in the nature
growing and blossoming all around you
in the trees, the sky
the mossy ground and below
in the water we are a part of
and in the air we breathe

art is in our cells
in the womb of every mother
in the eyes of every human
in the tears and in the laughter

art is in the energy flowing through us
-whether we are aware of it or not
art is in the essence of life
and we are all a part of it

we just need to pause
and take a look
and we will see
the extraordinary in the ordinary

VIRTAUS

ammennan luovuuden loputtomasta lähteestä
taide virtaa lävitseni ottaen muodon
milloin kuvana tai liikkeenä
milloin äänenä tai tekstinä

olen kanava:
silta näkyvän ja näkymättömän välillä
joku, jolle annetaan
jotta voisin antaa eteenpäin

jakaa sydämen paloa
ja sielun janoa
lohtua eksyneille
iloa kaipaaville

muistuttaen:
sinä olet uskomaton taideteos
sinussa asuu valo ja voima
kaikki pyhä jota etsit
on jo

EPILOGI

PARADOKSIT

rakastan elämän paradokseja!
sitä että joskus täytyy

olla täysin avuton
tunteakseen olevansa vapaa

hukassa
huomatakseen olevansa jo perillä

yksin
tunteakseen olevansa osa kokonaisuutta

hiljaisuudessa
voidakseen todella kuulla

joutua kauas
nähdäkseen mitä oli lähellä

kohdata pimeys
tunnistaakseen valon

oivaltaa paljon tietääkseen
että ymmärtää hyvin vähän

luopua odotuksista
saadakseen tarvitsemansa

nöyrtyä elämän edessä
luottaakseen siihen että se kantaa

tuntea kuolema
tietääkseen miten haluaa elää

KIITOS

lapsilleni Eeville, Elialle ja Maximilianille
että teitte minusta äidin ja että
rikastutatte elämääni niin monin tavoin

perheelleni ja ystävilleni
tuesta, rakkaudesta ja kannustuksesta

Joonakselle
että rakastat ja näytät sen
että kannustat minua olemaan oma itseni
ja seuraamaan unelmiani

rakastan teitä <3

kiitos myös
äidinsieluisille auttajilleni
opettajilleni, tukijoilleni
ja kaikille, jotka ovat ohjanneet minua matkallani
nykyiseen pisteeseen

kiitos.

Kuva: Lina Ede

Tiia Kemppainen (s.1991)
on Pohjanmaalainen taiteilija
kolmen kullannupun äiti
neurovähemmistön edustaja
sekä lannistumaton romantikko

VALOSTA PIMEYTEEN JA TAKAISIN
on hänen kirjallinen esikoisteoksensa:
henkilökohtainen matkakuvaus elämästä
oodi avoimuudelle ja rohkeudelle
-uskallukselle jakaa ja tulla nähdyksi

RUNOT AAKKOSJÄRJESTYKSESSÄ